"당신에게 회복력을 선물합니다."

회복력,
108일 여행

"삶의 기술 대부분은 회복력입니다."

A good half of the art of living is resilience.

•

Alain de Botton

알랭 드 보통

@ morning

contents

하나,

내 마음 설명하기

•

둘,

바꾸고 싶은 것

•

셋,

하나씩 하나씩

•

넷,

균형

•

다섯,

작은 습관이 회복력이다

•

여섯,

나를 표현하기

여시아문, 나는 이렇게 들었다.
매일 무릎 꿇고 엎드려 내가 아닌,
다른 사람의 발등에 입을 맞추길 108번 하라고.

하나,

내 마음 설명하기

If your heart is a volcano, how shall you expect flowers to bloom?

당신의 마음이 화산인데, 어떻게 꽃이 피기를 기대하나요?

•

Kahlil Gibran

칼릴 지브란

day

·

1

가장 어두운 밤도 언젠간 끝나고
해는 떠오를 것이다.

•

Vincent van Gogh
빈센트 반 고흐

day · 2

마음껏 울어라.
그러면 그만큼 슬픔도 덜어질 것이다.

•

William Shakespeare
윌리엄 셰익스피어

day

·

3

어떤 사람에게는 잘 맞는 신발이
어떤 사람에게는 꽉 끼는 것처럼
모든 사람에게 딱 맞는 인생의 비결은 없습니다.

•

Carl Gustav Jung
칼 융

day · 4

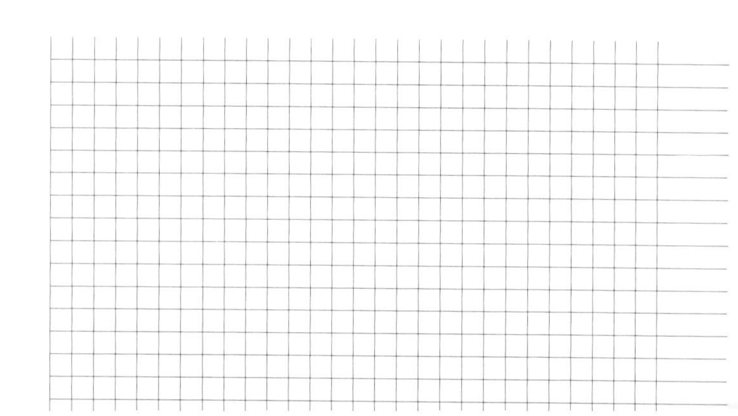

고통은 지나가지만 아름다움은 남습니다.

•

Pierre-Auguste Renoir
피에르 오귀스트 르누아르

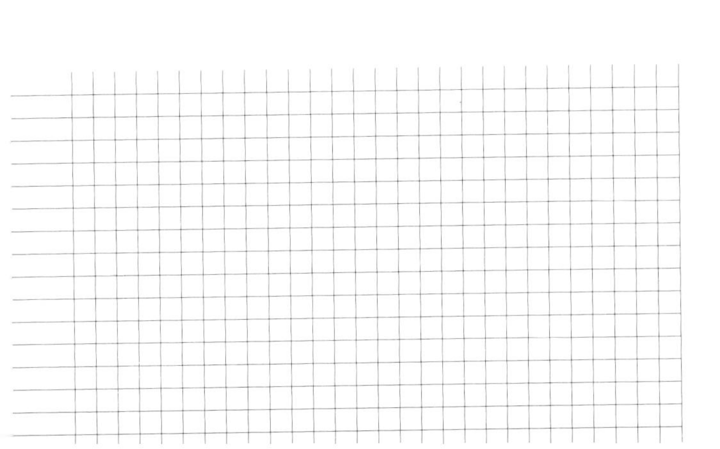

day
·
5

마음으로 볼 때만 세상을 바로 볼 수 있습니다.
원래 진실은 눈에 보이지 않기 때문입니다.

•

Antoine de Saint-Exupéry
앙투안 드 생텍쥐페리

day · 6

우리를 망치는 것은 다른 사람들의 눈을 지나치게 의식하는 것이다.
만약 나를 제외한 모든 사람이 장님이라면
좋은 옷이나 멋진 집, 반짝이는 가구를 필요로 하지 않을 것이다.

•

Benjamin Franklin
벤저민 프랭클린

day

·

7

슬픈 영혼은 당신을 세균보다 빨리 죽일 수 있어요.

•

John Steinbeck

존 스타인벡

day · 8

시간은 슬픔을 잊게 한다.

•

Desiderius Erasmus
에라스뮈스

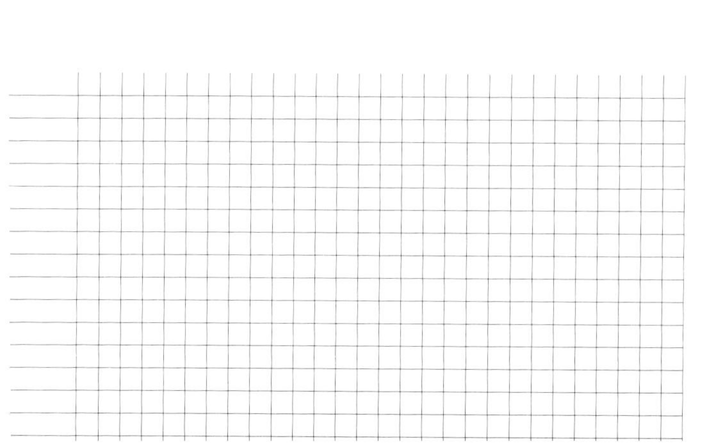

day

·

9

병이 나면 한 가지 좋은 점이 있습니다.
병이 나기 전보다 더 좋은 상태로 돌아갈 수 있다는 겁니다.

•

Henry David Thoreau
헨리 데이비드 소로

day

·

10

눈물은 뇌가 아니라 마음에서 나온다.

•

Leonardo da Vinci
레오나르도 다빈치

day

·

11

누구도 다른 사람을 완벽하게 이해할 수 없고
누구도 다른 사람의 행복을 대신 만들어 줄 수 없다.

•

Graham Green
그레이엄 그린

day

·

12

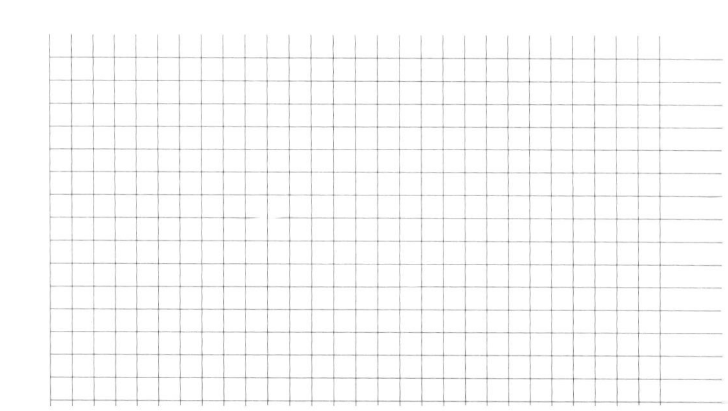

자신에게 진실한 사람만이 타인에게 진실할 수 있습니다.

•

Erich Pinchas Fromm
에리히 프롬

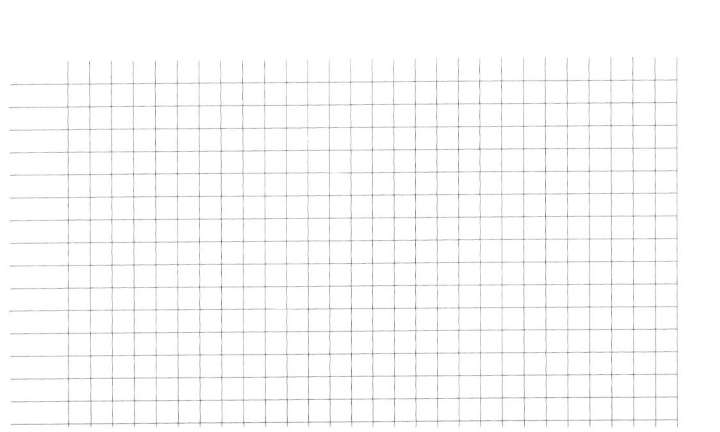

day

·

13

자신을 아는 일이 가장 어렵고,
다른 사람에게 충고하는 일이 가장 쉽다.

•

Thalēs
탈레스

day

·

14

대부분의 사람은 예상 못 한 엉뚱한 이유로 화를 터뜨리곤 합니다.

•

Rudyard Kipling
러디어드 키플링

day

·

15

다른 사람에게 마음을 열지 않을수록 마음의 상처는 더 커집니다.

•

Deepak Chopra
디팩 초프라

day

·

16

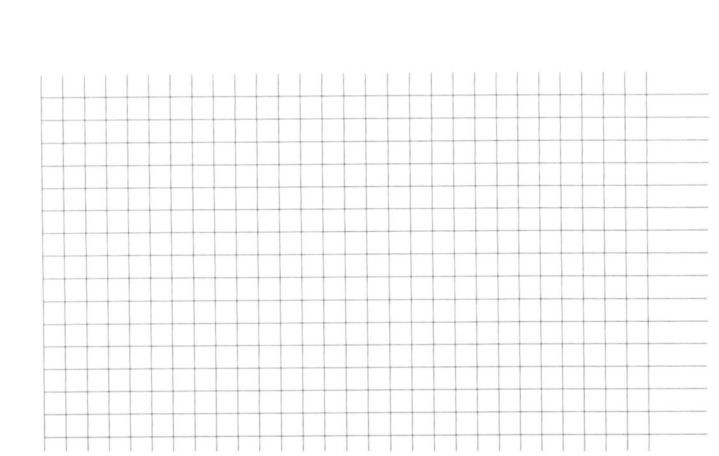

사랑이나 우정은 우리에게 어떤 흔적도 남기지 않고
운명의 강을 건널 수 없다.

•

François Mauriac
프랑수아 모리아크

day · 17

오늘날 가장 큰 질병은 나병이나 결핵이 아니라
필요 없는 사람이 된 느낌입니다.

•

Mother Teresa
마더 테레사

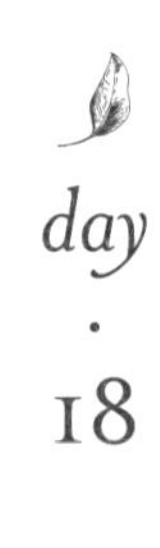

day · 18

나는 가난하여 가진 것이 꿈뿐이라 내 꿈을 그대 발밑에 깔았습니다.
사뿐히 밟으소서. 그대 밟는 것 내 꿈이오니.

- 〈하늘의 천〉 중에서

•

William Butler Yeats

윌리엄 버틀러 예이츠

주변을 새롭게 보는 연습을 해보면 어떨까요?
매일 보는 물건에 다른 이름을 붙여보고
오래 머무르는 장소에 기분 좋아지는 물건을 놓아두고
오늘은 평소와 다른 길로도 걸어보고.

둘.

바꾸고 싶은 것

Two roads diverged in a wood, and I-
I took the one less traveled by,
And that has made all the difference.

숲속에 두 갈래 길이 있었다.
나는 사람들이 덜 밟은 길을 택했고 그것이 내 모든 것을 바꾸어 놓았다.
- 〈가지 않은 길〉 중에서

•

Robert Frost
로버트 프로스트

day

·

19

실수를 잊어버리세요. 실패를 잊어버리세요.
지금 하려는 일을 제외한 모든 것을 잊어버리세요.
오늘은 운이 좋은 날입니다.

•

Will Durant
윌 듀런트

day

·

20

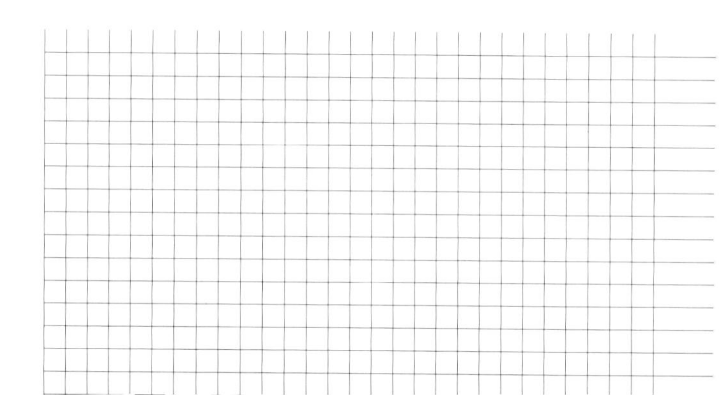

우리가 모두 같은 별을 원한다면
별들로 가득 찬 하늘은 없을 거예요.

•

Frances Clark
프랜시스 클락

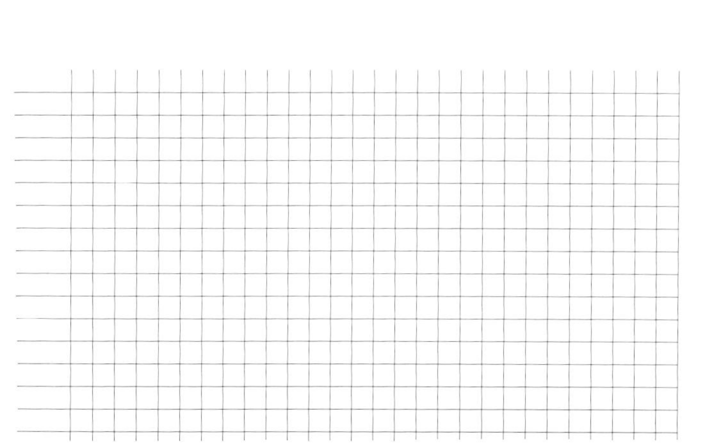

day

·

21

진실한 삶은 아주 작은 변화들로 시작된다.

•

Leo Tolstoy
레오 톨스토이

day

·

22

한 명의 아이, 한 명의 교사, 한 권의 책, 하나의 펜으로
세상은 바뀔 수 있습니다.

•

Mulala Yousafzai
말랄라 유사프자이

day

·

23

더는 상황을 바꿀 수 없을 때
우리는 자신을 변화시켜야 하는 도전에 직면한다.

•

Viktor Frankl
빅터 프랭클

day

·

24

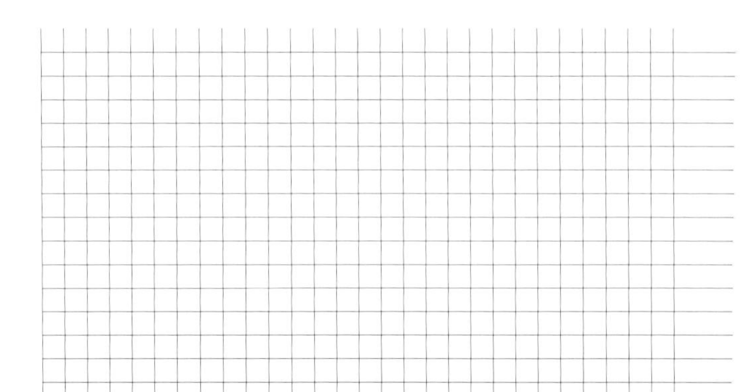

모든 위대한 꿈은 꿈꾸는 사람과 함께 시작됩니다.
세상을 바꾸는 힘과 인내와 열정이 당신 안에 있음을 잊지 마세요.

•

Harriet Tubman
해리엇 터브먼

day

·

25

열린 마음이 없으면 더 큰 성공을 거둘 수 없습니다.

•

Martha Stewart
마사 스튜어트

day

·

26

힐링은 시간의 문제이지만 때로는 기회의 문제이기도 하다.

•

Hippocrates
히포크라테스

day

·

27

대체 불가능한 사람이 되기 위해서는 항상 달라야 해요.

•

Coco Chanel

코코 샤넬

day

·

28

경험을 현명하게 사용한다면 어떤 일도 시간 낭비는 아니다.

•

Auguste Rodin
오귀스트 로댕

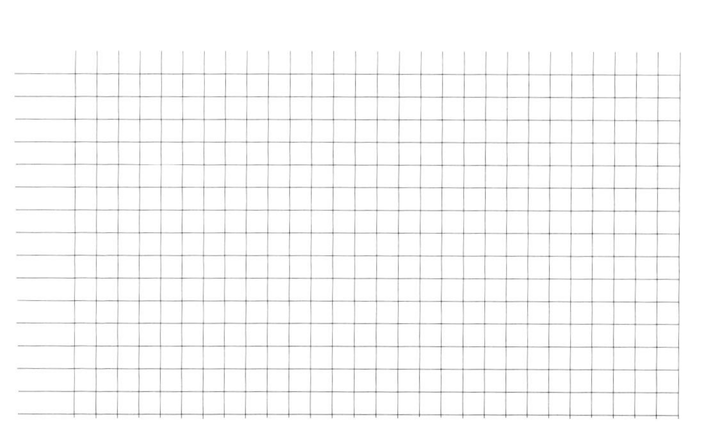

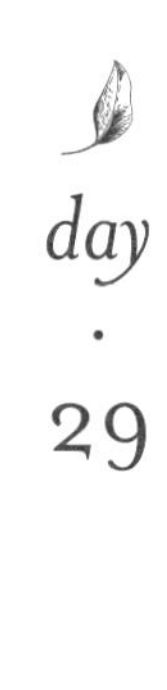

day

·

29

당신의 열정을 하찮게 여기는 사람들과 가까이하지 마세요.
소인배들은 항상 그런답니다. 하지만 정말 훌륭한 사람은
당신이 훌륭한 사람이 될 수 있다는 사실을 믿는답니다.

•

Mark Twain
마크 트웨인

day

·

30

당신의 시간은 한정되어 있다.
다른 사람의 삶을 사는 데 그 시간을 낭비하지 마라.

•

Steve Jobs
스티브 잡스

day · 31

가장 힘든 일은 결심이에요. 그리고 남은 것은 끈기만이죠.

•

Amelia Earhart
아멜리아 에어하트

day

·

32

어려운 일은 다른 사람들과 함께 사는 것이 아니라
그들을 이해하는 것입니다.

•

José Saramago
주제 사라마구

day

·

33

진정한 친구는 당신이 약간 금이 간 것을 알지만,
그래도 당신이 좋은 달걀이라고 생각하는 사람이에요.

•

Bernard Meltzer
버나드 멜처

day · 34

특히 새로운 영역으로의 모든 모험은 두렵습니다.

•

Sally Ride
샐리 라이드

day

·

35

완벽함에 대한 두려움을 가질 필요가 없다. 왜냐하면,
절대 도달할 수 없으니까.

•

Salvador Dali
살바도르 달리

day

·

36

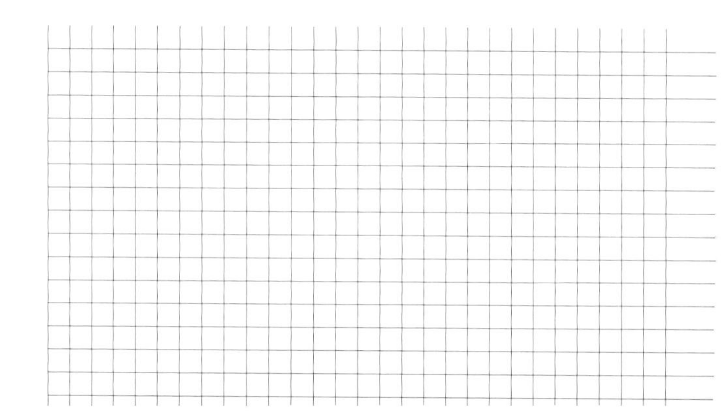

당신이 그랬던 것처럼 너무 늦지 않았습니다.

•

George Eliot
조지 엘리엇

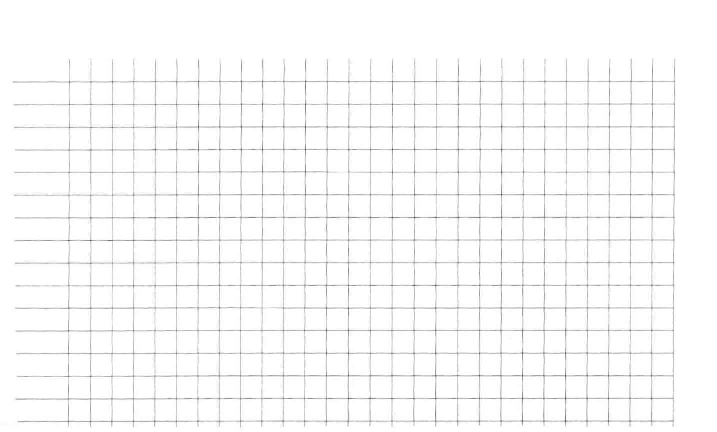

나만의 비밀 공간을 만드세요.
우리 동네 작은 커피숍이라도 좋아요.
뒷산 공원 벤치도, 산책로도, 호숫길도.
내 생각이 쉴 수 있다면.

셋,

하나씩 하나씩

There are always flowers for those who want to see them.

꽃을 보고 싶은 사람들에게는 항상 꽃이 보일 것이다.

•

Henri Matisse

앙리 마티스

day

·

37

창가에 핀 한 송이 나팔꽃은
무수한 책들 속의 그 어떤 사유보다 나에게 감동을 준다.

•

Walt Whitman
월트 휘트먼

day

·

38

지금 당장 하고 싶은 일을 시작하세요. 우리는 영원히 살 수 없어요.
우리에게는 별처럼 반짝이고 눈송이처럼 녹아내리는 순간밖에 없어요.

•

Francis Bacon
프랜시스 베이컨

day

·

39

상처를 치유하기 위해서는
먼저 그 상처를 마주 보는 용기가 필요합니다.

•

Paulo Coelho
파울로 코엘료

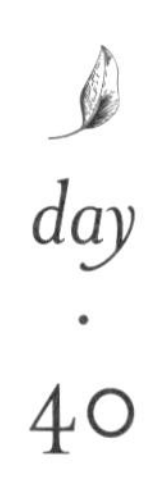

day

·

40

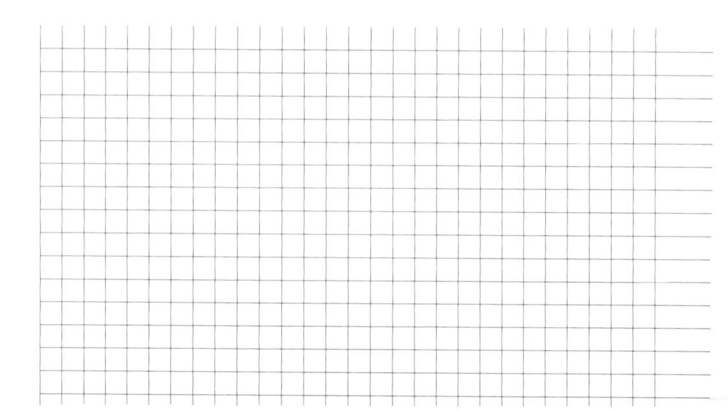

실패에 대해 걱정하지 말고
시도조차 하지 않을 때 놓쳐버릴 기회를 걱정하라.

•

Jack Canfield
잭 캔필드

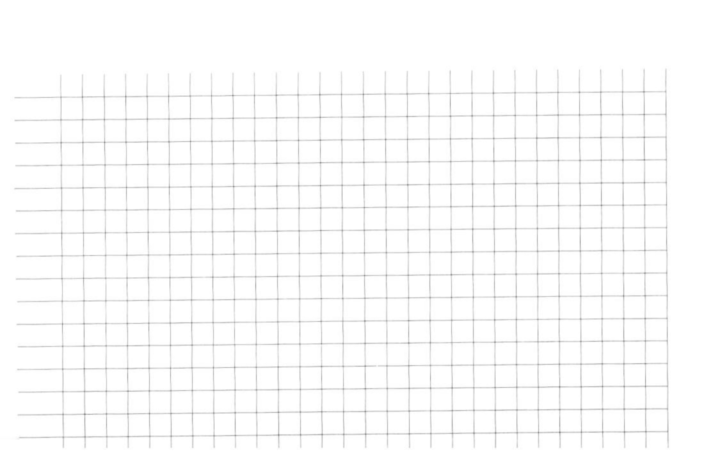

day

·

41

불가능[impossible]한 것은 없어요.
조금만 달리 보면, "나는 가능합니다[I'm possible]"라고 말하니까요.

•

Audrey Hepburn
오드리 헵번

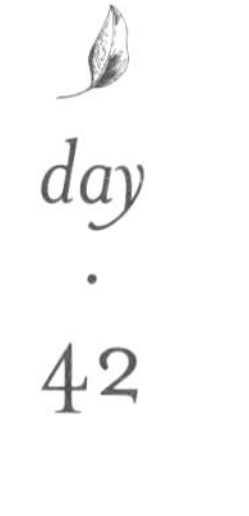

day

·

42

‘노[no]’를 거꾸로 쓰면 앞으로 나아가라는 ‘온[on]’이 된다.
모든 문제에는 반드시 문제를 푸는 열쇠가 있다.
끊임없이 생각하고 도전하라.

•

Norman Vincent Peale
노먼 빈센트 필

day

·

43

행복은 나눌 때 더 커지는 유일한 것입니다.

•

Albert Schweitzer

알베르트 슈바이처

day

·

44

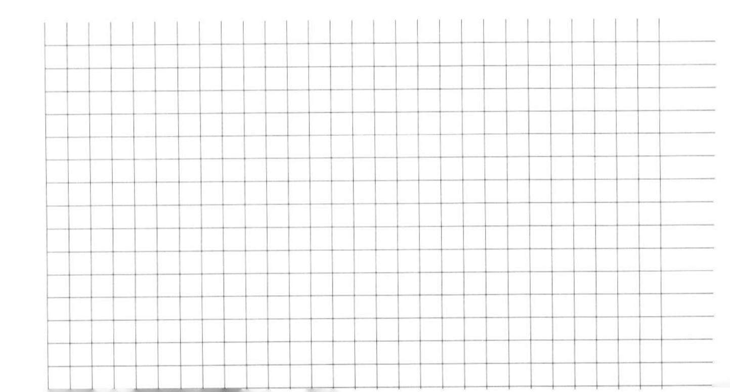

모든 것을 가질 수 없지만,
저는 동시에 모든 것을 할 수 있다는 것을 배웠습니다.

•

Oprah Gail Winfrey
오프라 윈프리

day

·

45

당신이 잘하는 일이라면 무엇이든 행복을 가져다줍니다.

•

Bertrand Russell
버트런드 러셀

day
·
46

멈추지 않는 한 얼마나 천천히 가느냐는 중요하지 않습니다.

•

孔子
공자

day

·

47

네 할 일은 오직 행동에만 있지 결코 그 결과에 있지 않다.
행동의 결과를 네 동기가 되게 하지 마라.

•

《*Bhagavad Gita*》
《바가바드기타》

day

·

48

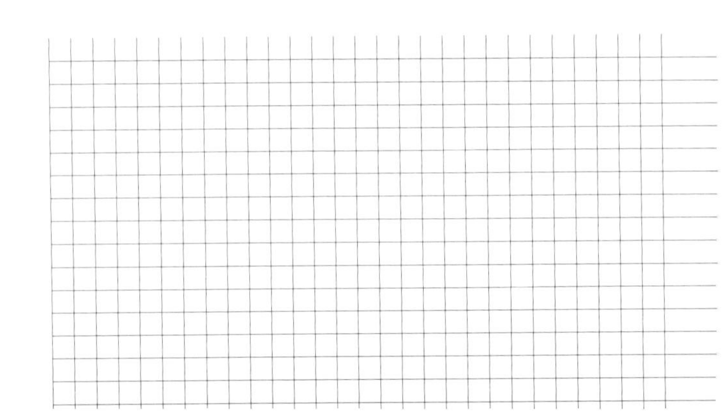

나는 늦게 시작했다.
마흔 살이 되어서야 첫 영화를 만들었다.

•

Ridley Scott
리들리 스콧

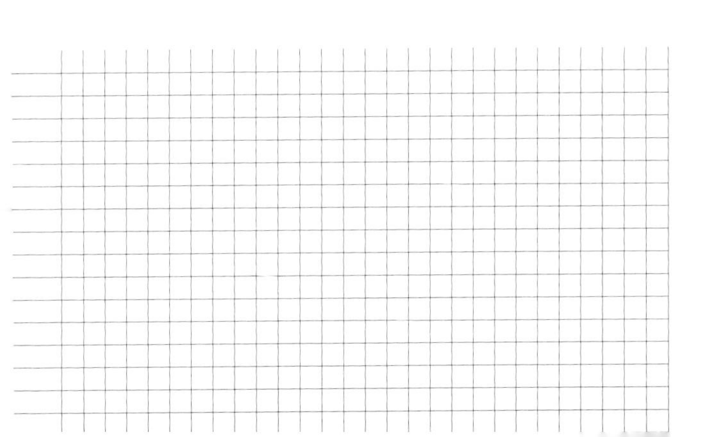

day

·

49

결심하면 두려움도 사라진다는 것을 나는 수년에 걸쳐 배웠다.

•

Rosa Parks
로사 파크스

day

·

50

누군가에게는 노을처럼 보일 수 있으나
지금은 새로운 하루가 시작되는 새벽입니다.

•

Chris Hadfield
크리스 해드필드

day

·

51

당신이 하는 일이 변화를 만듭니다.
이제 당신은 어떤 변화를 원하는지 선택해야 합니다.

•

Jane Goodall
제인 구달

day

·

52

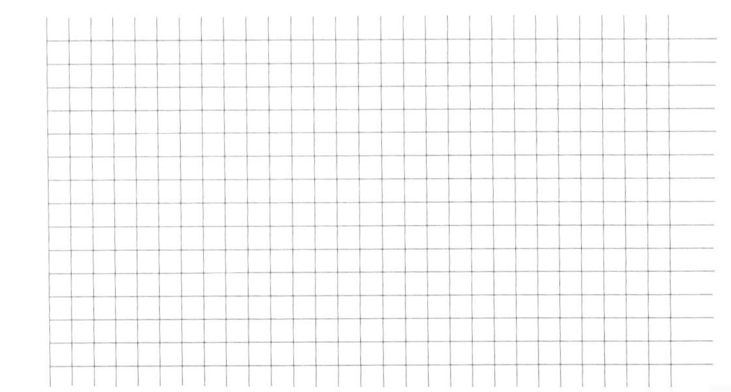

기쁨은 사물에 없습니다. 그것은 우리 안에 있습니다.

•

Wilhelm Richard Wagner
리하르트 바그너

day

·

53

나이가 들어가면서 성장하고 있다고 느끼는 것,
그것이 바로 인생의 해피 엔딩이에요.

•

Alice Munro
앨리스 먼로

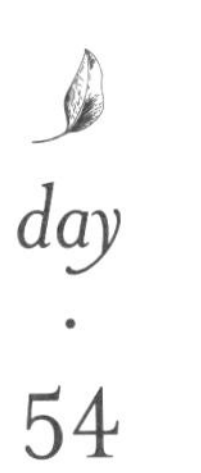

day

·

54

결국에는 모든 것이 다 괜찮아질 거야.
그렇지 않으면 아직 끝이 아니니까.

•

John Lennon
존 레논

눈을 감으세요.
그리고 호흡이 잦아지도록 기다리세요.
숨을 가볍게 들이마시고 가볍게 내쉬고.
숨이 들어오고 나가는 것에 집중하세요.
내 마음이 쉴 수 있게.

넷, 균형

To keep the body in good health is a duty...
otherwise we shall not be able to keep our mind strong and clear.
신체를 건강하게 유지하는 것은 의무입니다.
그렇지 않으면 우리는 마음을 강하고 깨끗하게 유지할 수 없습니다.

•

Buddha
붓다

day

·

55

얼굴을 항상 햇빛을 향하도록 하세요.
그러면, 그림자는 당신 뒤에 올 것입니다.

•

Walt Whitman
월트 휘트먼

day

·

56

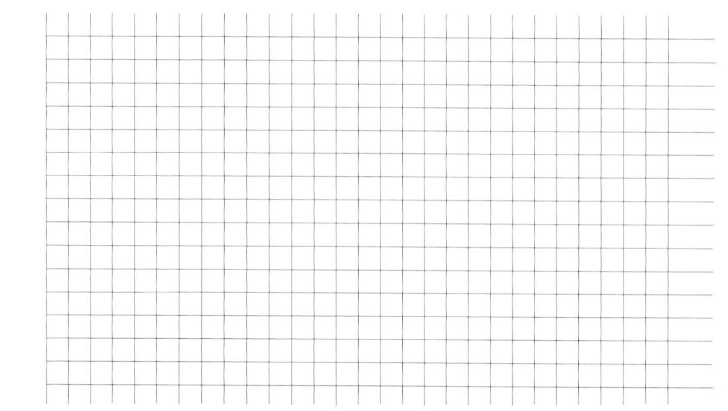

노동에는 반드시 충분한 여가가 함께해야 합니다.
노동한 후에는 가족과 휴식을 취하며
책을 읽고, 음악을 듣고, 운동하며 자신을 즐길 시간을 가져야 합니다.

•

Pope Francis
교황 프란치스코

day

·

57

균형은 당신이 '언젠가' 이루어야 할 그 무언가가 아닙니다.

•

Nick Vujicic
닉 부이치치

day · 58

자연의 흐름에 순응하세요. 그 비밀은 인내입니다.

•

Ralph Waldo Emerson
랠프 월도 에머슨

day

·

59

내 뒤에서 걷지 마라. 내가 인도할 수 없을 거야.
내 앞에서 걷지 마라. 내가 못 따라갈 거야.
나와 친구가 되어 나란히 걷자꾸나.

•

Albert Camus
알베르 카뮈

day

·

60

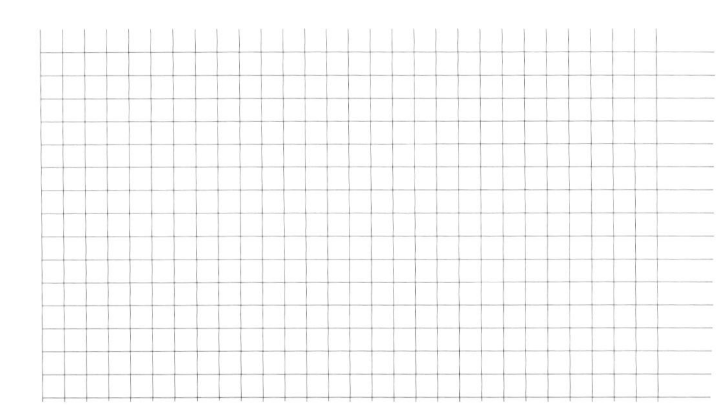

인생은 자전거를 타는 것과 같다.
균형을 잡으려면 계속 앞으로 나아가야 한다.

•

Albert Einstein
알베르트 아인슈타인

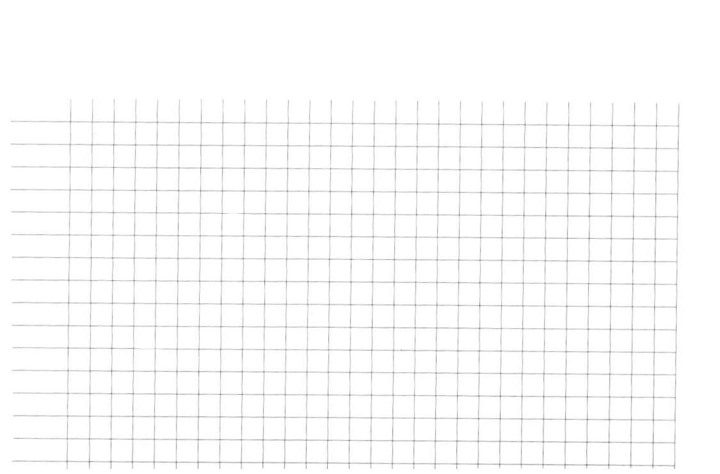

자연과 함께 걸으면 당신이 바라는 것보다 훨씬 더 많은 것을 얻을 수 있어요.

•

John Muir
존 뮤어

day

·

62

하루 일은 하루에 하는 일, 그 이상도 이하도 아니다.
그가 화가든 노동자든 하루 일을 하려면
하루 분량의 영양분, 하룻밤 분량의 휴식 그리고 적절한 레저가 필요하다.

•

George Bernard Shaw
조지 버나드 쇼

day
·
63

가족이야말로 자연이 만든 걸작 중 하나입니다.

•

George Santayana
조지 산타야나

day

·

64

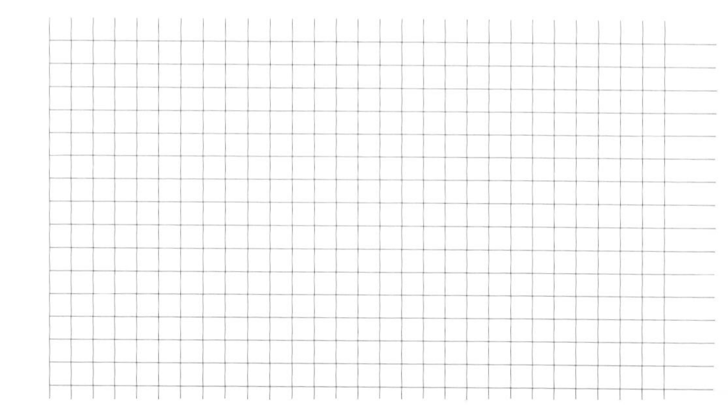

우주의 기본 법칙의 하나는 완벽한 것은 없다는 것입니다.
불완전하기 때문에 우리가 존재하는 것입니다.

•

Stephen Hawking
스티븐 호킹

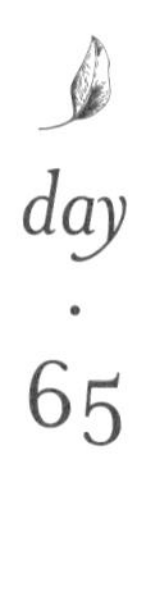

day

·

65

목표를 너무 높게 설정하면
너무 낮게 잡은 것과 마찬가지로 목표를 놓칠 수 있다.

•

Thomas Fuller
토머스 풀러

day

·

66

행복은 세기의 문제가 아니라 균형과 질서, 리듬과 조화의 문제입니다.

•

Thomas Merton

토머스 머튼

day
·
67

가장 큰 어리석음은 다른 행복을 위해 건강을 희생하는 것입니다.

•

Arthur Schopenhauer
아르투르 쇼펜하우어

day

·

68

사람은 이미 가진 것의 합계가 아니라
그가 아직 가지지 않았지만, 가질 수 있는 것의 합계입니다.

•

Jean-Paul Sartre
장 폴 사르트르

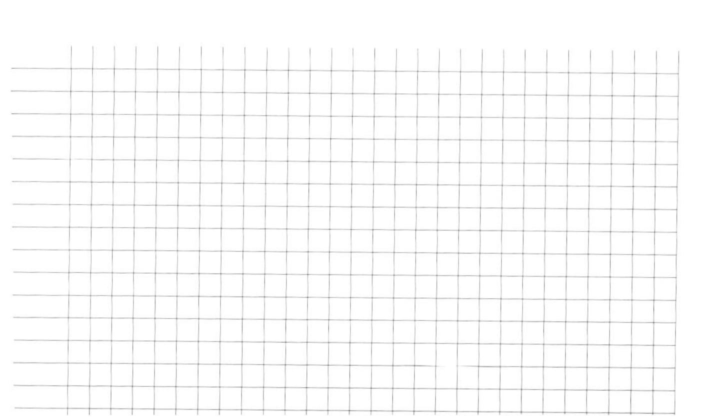

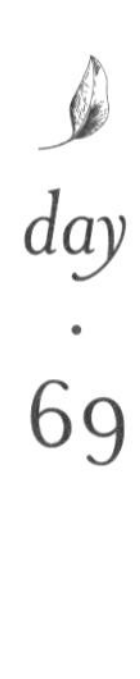

day · 69

조언은 강요하지 않는 것입니다.

•

Anton Chekhov
안톤 체호프

day

·

70

자연은 서둘지 않으면서도 모든 것을 이루어낸다.

•

老子

노자

day

·

71

자유를 누리려면 스스로 자신을 다스릴 수 있어야 합니다.

•

Virginia Woolf
버지니아 울프

day

·

72

사랑하는 사람에게 날 수 있는 날개를,
돌아올 수 있는 뿌리를,
머무를 수 있는 이유를 주세요.

•

Dalai Lama
달라이 라마

아침에 눈을 뜨고 5분 동안 휴대전화 보지 않기.
세수하기 전에 거울을 보며 웃기.
매일 30초, 햇빛을 바라보기.
그리고
《108일 여행》에 오늘 하루 감사한 일을 쓰면서.

다섯 · 작은 습관이 회복력이다

In order to be utterly happy
the only thing necessary is to refrain from comparing this moment
with other moments in the past.

완전한 행복을 얻기 위한 단 한 가지 방법은
이 순간을 과거의 다른 순간과 비교하지 않는 것이다.

•

André Gide
앙드레 지드

day

·

73

우리를 행복하게 하는 사람들에게 감사하세요.
그들은 우리의 영혼을 꽃 피우는 매력적인 정원사입니다.

•

Marcel Proust
마르셀 프루스트

day

·

74

춤을 출 때, 당신은 어느 특정 장소로 가기 위한 것이 아니라
발걸음을 옮기며 한 걸음 한 걸음 즐기기 위해서입니다.

•

Wayne Dyer
웨인 다이어

day

·

75

나는 다른 사람보다 더 잘 춤추려고 노력하지 않아요.
나는 나보다 더 잘 춤추려고 노력할 뿐이에요.

•

Arianna Huffington
아리아나 허핑턴

day

·

76

현재의 우리는 우리가 반복적으로 한 행동의 결과다.
따라서 탁월함은 어떤 행동이 아니라 습관에서 나온다.

•

Aristotle
아리스토텔레스

day

·

77

우리의 가장 큰 약점은 포기에 있습니다. 성공하는 가장 확실한 방법은 언제나 한 번만 더 시도하는 것입니다.

•

Thomas Alva Edison
토머스 에디슨

day

·

78

땅으로 해서 넘어진 사람은 땅을 의지해서 일어난다.

《普照法語》

•

지눌, 《보조법어》

day

·

79

실수는 재미있는 삶을 위해 지불해야 할 대가의 일부입니다.

•

Sophia Loren
소피아 로렌

day

·

80

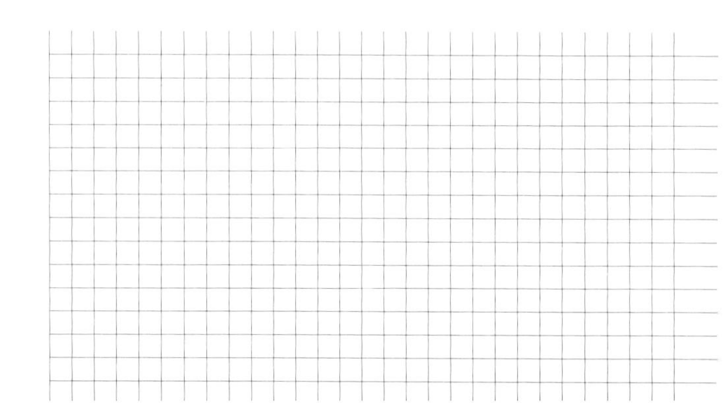

인생은 숨을 쉰 횟수가 아니라
숨 막힐 정도로 벅찬 순간을 얼마나 많이 가졌는가로 평가된다.

•

Maya Angelou
마야 안젤루

day

·

81

너무 많은 것을 고려하면 오히려 이루어낼 수 있는 게 없다.

•

Friedrich Schiller
프리드리히 실러

day

·

82

바위 바닥은 내 삶을 다시 일으켜 세우는 단단한 바탕이 되었습니다.

•

Joan K. Rowling
조앤 K. 롤링

day

·

83

멈추지 않고 일하고, 분석하고, 돌아보고, 글을 쓰고, 스스로 교정하는,
바로 그것이 나의 성공 비밀이다.

•

Johann Sebastian Bach
요한 제바스티안 바흐

day

·

84

행동하는 것이야말로 모든 성공의 첫 번째 열쇠입니다.

•

Pablo Picasso
파블로 피카소

day

·

85

아침에 일어나고 밤이 되면 잠자리에 들고
그사이에 하고 싶은 일을 할 수 있다면,
그 사람의 삶은 성공한 것입니다.

•

Bob Dylan
밥 딜런

day

·

86

슬픔은 충분한 수면과 목욕,
그리고 와인 한 잔으로도 잠재울 수 있다.

•

Thomas Aquinas
토머스 아퀴나스

day

·

87

웃음보다 가치 있는 것은 없다.
웃음을 터뜨리고, 자기를 내던지고, 스스로 가벼워지는 것.
이것이 바로 웃음의 힘이다.

•

Frida Kahlo
프리다 칼로

day

·

88

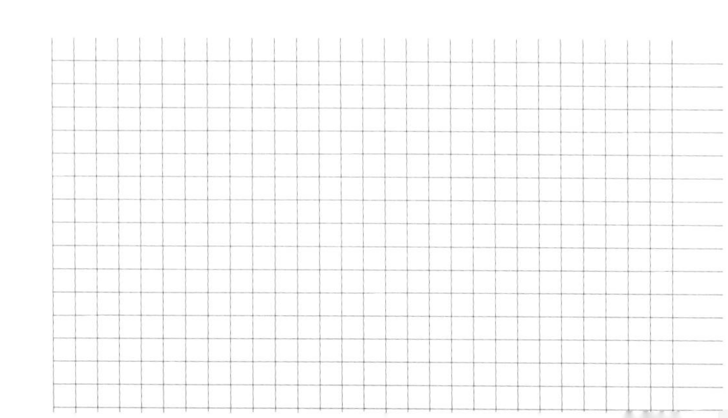

사람은 하루에 적어도 한 곡의 예쁜 노래를 듣고,
한 편의 아름다운 시를 읽고,
한 폭의 멋진 그림을 보고 그리고 가능하다면
지혜로운 말을 적어도 한두 마디 할 수 있어야 한다.

•

Johann Wolfgang von Goethe
요한 볼프강 폰 괴테

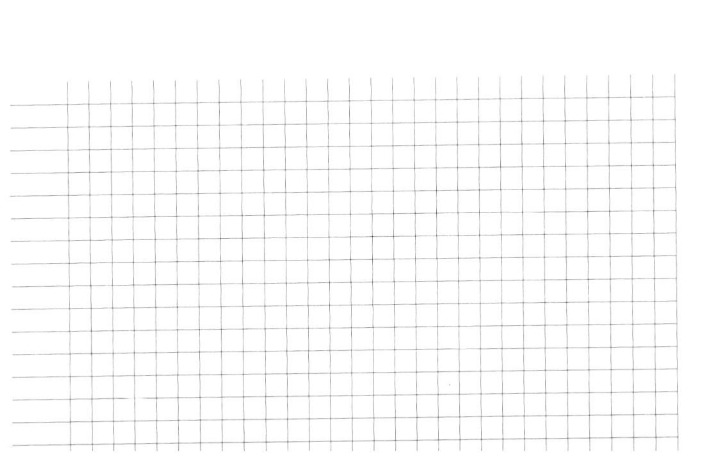

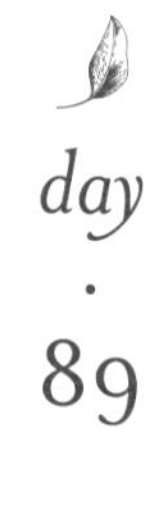

day

·

89

당신은 인생을 준비하기 위해서가 아니라 살기 위해서 태어났다.

•

Boris Pasternak
보리스 파스테르나크

day

·

90

미망으로부터 진리로 나를 인도하소서.
어둠으로부터 빛으로 나를 인도하소서.
죽음으로부터 영원으로 나를 인도하소서.

•

《*Upaniṣad*》
《우파니샤드》

내가 좋아하는 색,
내가 기분 좋아지는 향,
내가 설레는 말을 상상해보세요.
내가 그리워하는 사람,
내가 하고 싶은 일을
《108일 여행》에 적어보세요.
그리고
나는 누구인가 물어보세요.

여섯, 나를 표현하기

The true secret of happiness lies in taking a genuine interest in all the details of daily life.

진정한 행복의 비밀은 일상의 사소한 것들에 흥미를 느끼는 데 있습니다.

•

William Morris

윌리엄 모리스

day

·

91

인생은 그 사람의 용기의 크기만큼 늘어났다 줄었다 한다.

•

Anais Nin
아나이스 닌

day

·

92

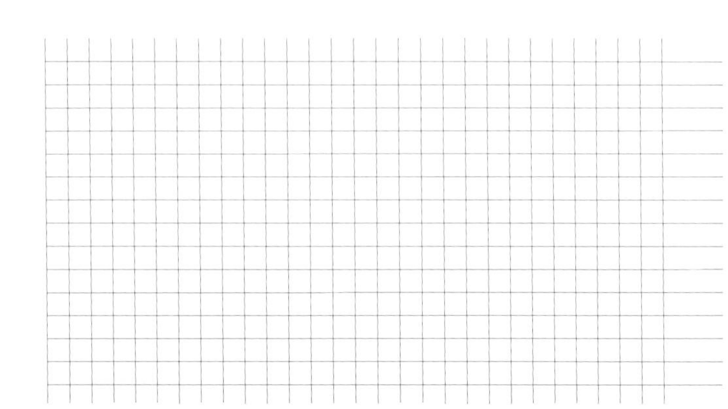

'도와준다'라는 말은 '사랑한다' 다음으로
세상에서 가장 아름다운 말입니다.

•

Bertha von Suttner
베르타 폰 주트너

day · 93

내가 보고 느끼는 것을 가장 단순하게 최선을 다해 기록하는 것,
이것이 나의 목표입니다.

•

Ernest Hemingway
어니스트 헤밍웨이

day

·

94

말은 생각을 충분히 표현하지 못한다.
말을 내뱉는 순간 그 의미는 조금 달라지고, 약간 왜곡되고,
때로는 멍청해지기까지 한다.

•

Hermann Hesse
헤르만 헤세

day

·

95

트렌드에 빠지지 마세요. 나의 패션 스타일과 삶의 방식을 통해
어떤 사람으로 나를 표현하고 싶은지를 스스로 결정하세요.

•

Gianni Versace
지아니 베르사체

day

·

96

자신을 사랑하는 것은 한평생 이어질 로맨스의 시작입니다.

•

Oscar Wilde
오스카 와일드

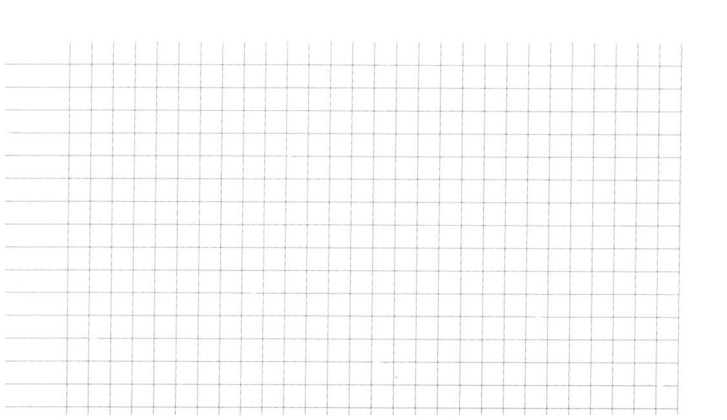

day

·

97

눈으로만 보지 말고 당신 안에 갇혀 있는 이미지들을
이제 마음으로 읽으세요.

•

Rainer Maria Rilke
라이너 마리아 릴케

day

·

98

당신이 찾고 있는 것은 이미 당신 안에 있습니다.

•

Thich Nhat Hanh
틱낫한

day

·

99

인간은 여행을 통해 겸손해진다.
세상에서 인간이라는 존재가 얼마나 하찮은가를 깨닫게 해 주기 때문이다.

•

Gustave Flaubert
귀스타브 플로베르

day

·

100

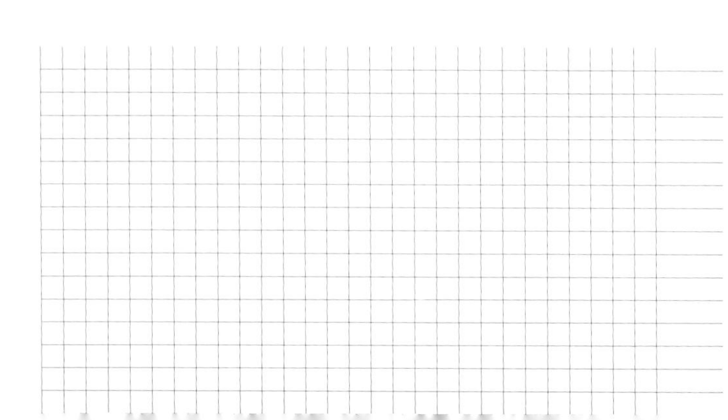

나는 주변의 칭찬이나 비난에 귀 기울이지 않는다.
오직 내 감정의 선을 따라갈 뿐이다.

•

Wolfgang Amadeus Mozart
볼프강 아마데우스 모차르트

day

·

101

지금, 이 순간에 행복하세요. 이 순간이 당신의 인생입니다.

•

Omar Khayyam
우마르 하이얌

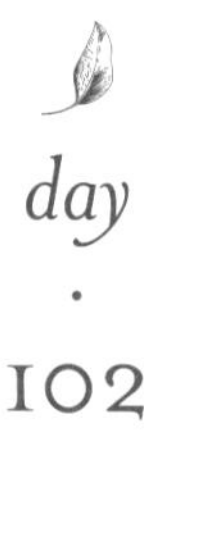

day

·

102

사랑보다 더 강력한 힘이 있을까요?

•

Igor Stravinsky
이고르 스트라빈스키

day

·

103

빛을 밝히는 두 가지 방법이 있다.
스스로 촛불이 되거나 그것을 비추는 거울이 되거나.

•

Edith Wharton
이디스 워튼

day

·

104

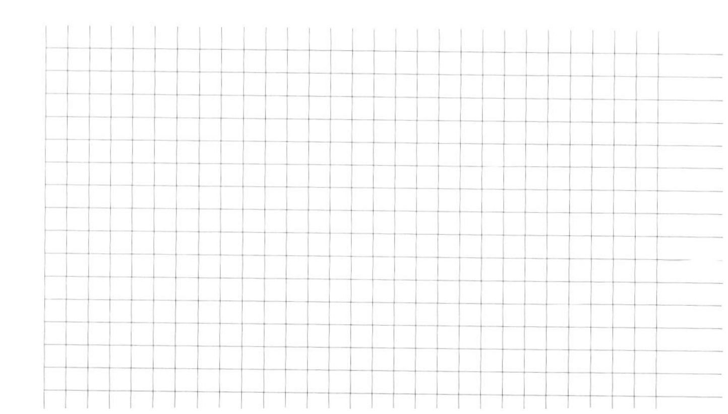

희망은 있다고 할 수도 없고, 없다고 할 수도 없다.
그것은 길과 같다. 원래 길은 없었는데 걸어 다니는 사람이 많아지자
길이 생기는 것처럼.

-《고향》 중에서

•

魯迅
루쉰

day

·

105

하늘을 보세요. 우리는 혼자가 아니에요.
온 우주가 모두 꿈을 꾸며 일하는 사람들에게 최고의 선물을 주기 위해
계획을 세우고 있답니다.

•

A. P. J. Abdul Kalam
압둘 칼람

day

·

106

한 송이의 장미가 내 정원이 될 수 있듯이,
한 명의 친구가 내 세상이 될 수 있어요.

•

Leo Buscaglia
레오 버스카글리아

day

·

107

마음의 호흡으로 종이를 채우세요.

•

William Wordsworth

윌리엄 워즈워스

day

·

108

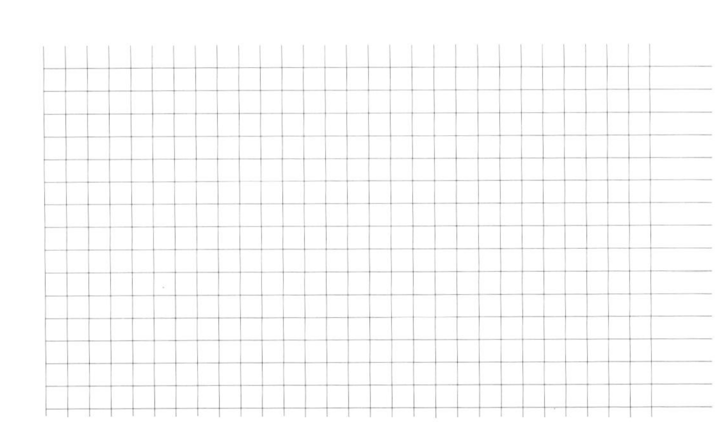

화가의 팔레트처럼 우리 인생에도
삶과 예술에 의미를 부여하는 단 하나의 색이 있습니다.
그것은 바로 '사랑'이라는 색입니다.

•

Marc Chagal
마르크 샤갈

《회복력, 108일 여행》 사용법

회복력은 예기치 않게 찾아온 인생의 도전을 성공적으로 이겨내는 힘입니다.
자신을 더 강하게 밀어붙이는 것이 아니라 자기 자신에게 재충전하는 시간을
주는 것만으로도 회복력을 키울 수 있어요.
매일 한 자 한 자 글을 써나가는 동안 당신의 회복력도 함께 커나갈 것입니다.

Why Resilience?

매일매일 적는 손글씨 습관으로 회복력을 키우세요

회복력resilience이란 어떤 자극으로 인해 변화된 상태가 다시 원래의 상태로 되돌아오는 힘을 말합니다. 이 용어는 '다시 튀어 오른다to jump back'라는 뜻의 라틴어resilio에서 유래되었습니다.
긍정심리학의 대가인 마틴 셀리그먼 박사는 좌절감을 느꼈을 때, 먼저 나 자신에게 상황을 충분히 설명하고 스스로 받아들이는 것이 중요하다고 말합니다. 마음에 상처를 입은 사람들을 대상으로 자신의 감정을 드러내는 글쓰기를 실험한 결과, 회복력에 도움이 되고 우울감이나 스트레스를 감소시킨다는 임상 결과도 있습니다.
이제 회복력의 개념을 제자리로 되돌아온다는 사전적인 의미를 넘어 새로운, 더 나은 상태로 나아간다는 개념으로 확장할 필요가 있습니다.

어떻게 시작할까?

- 내가 좋아하는 자리나 공간을 찾아 글을 쓰면 더 좋지 않을까요?
  차 한 잔 곁들인다면 더 좋고.
- 책에 적힌 글의 흐름을 따라가며 내 생각과 감정을 남겨보세요.
  모든 must에 집착하지 말고.
- 한 번에 너무 오랫동안 글을 쓰면 지칠 수 있어요.
  과유불급! 무리하지 말고.

"당신의 꿈과 목표를 종이에 기록하는 것은
자신이 가장 원하는 사람이 되는 과정의 시작입니다.
미래를 당신의 좋은 손에 맡기세요."

•

Mark Victor Hansen
마크 빅터 한센

@morning은 다양한 분야에서 활동하는 필진이 각자 쓰고 싶은 주제를 글, 음악, 일러스트 등으로 자유롭게 표현해 발행하는 온라인 뉴스레터&커뮤니티입니다. 매일매일 내 생각을 손글씨로 표현하는 습관이 일상에서 하나의 큰 힘이 될 수 있기를 바라며《회복력, 108일 여행》을 출간합니다.
#resilience #회복력을선물합니다

회복력, 108일 여행

초판 1쇄 인쇄 2020년 6월 30일
초판 1쇄 발행 2020년 7월 10일

지은이 앳모닝
펴낸이 나현숙

펴낸곳 디 이니셔티브
출판신고 2019년 6월 3일 제2019-000061호
주소 서울시 용산구 이태원로 211 708호
전화 · 팩스 02-749-0603
이메일 the.initiative63@gmail.com
홈페이지 www.theinitiative.co.kr
블로그 https://blog.naver.com/the_initiative
페이스북 · 인스타그램 @4i.publisher

ISBN 979-11-968484-3-9 12190

• 이 도서의 국립중앙도서관 출판예정도서목록(CIP)은 서지정보유통지원시스템 홈페이지(http://seoji.nl.go.kr)와 국가자료공동목록시스템(http://www.nl.go.kr/kolisnet)에서 이용하실 수 있습니다. (CIP제어번호: CIP2020024362)